Hors des clous

Alain-Jacques Gelaty

Hors des clous

Recueil

ISBN : 979-10-377-7887-1

Sers-m'en du jeu de paumes

Sous les mains d'Ève
ses jeux de paumes
font monter la sève,
soulèvent un rêve,
croquer la pomme
ad libitum.
Plus de passion brève
ni de cœur en grève,
ce qui me rase, me crève,
plus d'amour fantôme
ni d'after Ève.

Désirs d'un homme
nés sur le moment,
serment sous jeu de paumes,
espoirs sur l'instant.

2003

Sang haine

Tu m'enfonces une lame de fond,
je coule dans un océan de sang.
Putain ! Tu n'as pas pris de gants,
tu n'as pas mis les formes, mais, là, est ton fond.
Que mon sang pur abreuve tes sillons,
devienne par les pores de ta peau, poison.

refrain
Ma Marseillaise, je veux te crier,
salves de mots sans pitié,
c'est mon sang guerrier
pour un combat très singulier.

Pourtant, tu étais mon unique thème,
sincère, je te disais des « je t'aime »,
t'en couronnais comme d'un diadème,
j'avais une équation mais sans problème,
être Toi en restant moi-même,
fonctionnant dans un même système.

refrain
Ma Marseillaise, je veux te chanter,
salves de mots sans pitié,
c'est mon chant guerrier
pour un combat très singulier.

Je te souhaite des amours purgatoires,
des sans culotte aux attributs sans gloire,
te livrant des corps à corps sans victoire,
amants aux manières de hussards,
embastillant ton cœur au sang noir
à des chaînes de promesses illusoires.

2003

Personnage

La nuit, ne les dit-on pas tous gris ?
Lui, paraît ainsi le jour aussi,
à son pédigrée il obéit.
Ses yeux réfléchissent dans la nuit,
deux perles de miel quand le jour luit.

De son « pas de sénateur », il point,
réponse à son très bel embonpoint,
« un ventre de moine », ne dit-on point ?
Ce pur Chartreux, est-ce là un lien ?
Avec gourmandise il l'entretient.

Il règne sur le moindre piédestal,
y pose des attitudes royales,
loin d'un ici-bas pour lui banal.
Ce personnage n'est pas de tout poil
et s'impose comme original.

Il suit du regard et en sourit,
oiseaux, rats, souris, d'autres aussi.
Dévorer tout ce monde, que nenni !
Poils et poids plumes coupent l'appétit.
À quoi bon de pareilles envies !
Courir après de si maigres vies !
Apaisant est de laisser celles-ci,
puis il croque ses croquettes, ravi.

Philosophe auprès des radiateurs,
Inapte-aux femelles et leurs chaleurs,
il s'adonne à ses fans cajoleurs,
laisse entendre comme un faible moteur,
son bonheur roulant à l'intérieur,
celui de ce sybarite majeur,
si loin de tout élan partageur.
Pour son bon plaisir il n'est point d'heure,
tenant à l'écart tout « sale quart d'heure ».
Cet égocentrique de belle valeur
distille de doux instants côté cœur.

Keddy, janvier 2013

Entretemps

Tu te presses, paresses, contre moi,
et se presse sans cesse le temps.
Tes mains glissent sur moi,
et glisse avec elles le temps.
Traînent en langueurs nos émois,
et perd de sa longueur le temps.
Tes douceurs au son de ta voix,
et à la vitesse du son passe le temps.

Nous sommes le matin, puis le soir est déjà là,
dans cet espace, de nous aimer il était temps,
car, à cet instant où plus tard il est déjà,
Amour, nous ne savons ce qui nous attend.
Aussi, prenons le temps
d'avoir le bonheur entre tant…

200[illegible]

Marie, galante

Affranchie, de ton beau mal de mère,
et mieux, d'un mâle entendu comme père,
jeter l'encre de longs courriers d'Amour,[1]
puis à bord d'un Amour au long cours,
de vague en vague, puis de jour en jour,
au flux et reflux de notre Amour,
tanguer sur nos points de non-retour,
les plus beaux et j'en reviens toujours
bien chaviré sous tous mes contours,
Marie, galante pour moi seul, toujours.

2009

---

[1] *lever l'ancre de long-courriers d'Amour,*

Faut pas !

On baigne dans le faux,
on baigne dans le flot,
l'indice consommation,
l'information,
artificiels
comme l'insémination,
des dissimulations
réelles, cruelles.

Genre cette bombe
péril blonde,
siliconée, jambes longues,
faux ongles, je sonde.
Faux, comme le sourire que tu as,
il me fait si mal,
je cherche l'original
dans tes duplicatas.

Je baigne dans le faux,
je baigne dans le flot.
Vrai, comme le Titanic,
je baigne au fond des flots.
Comme d'autres, même lot,
surtout, pas de panique,
faut que je sorte la tête de l'eau
ou j'écope à défaut.

Forts comme des impacts d'astéroïdes,
dans l'effort ils s'accrochent aux stéroïdes,
pour le mental, le physique, mauvaise glisse.
Je vise ce qui se trame côté coulisses :
dans les vestiaires, le béton des barres,
la merde s'y change en or en barre.
Faux, comme cette méthadone,
qu'en cas extrême, l'hosto donne.

Faux, le « réel » que j'entends,
il y a du sang dans le son,
de la haine dans le ton,
de la peur plein écran,
je bogue, trop à cran.
Puis, coin de bleu dans mon ciel,
ma souris a des ailes,
je m'envole dans le virtuel.

Faux et habiles,
pouvoir, grosses huiles,
font leur beurre, tranquilles,
nous, on est sur le grill.
Manifs, ça gueule,
la rue crie « au vol ! »,
jets de bombes aérosols,
repli ou arrêt au sol.

On baigne dans le faux,
les contrefaçons
ce n'est pas nouveau,
le tout s'empile
comme briques et tuiles,
tous, sommes maçons.

2006

Rimer avec l'hiver

Sur les vitres, du givre pâles inflorescences,
piègent aux jours trop courts leur timide nitescence.
Emmitouflé, je sors pour aller au-delà,
du silence poudré j'écoute crisser mes pas,
atteindre la limite de notre clairière
puis de son bois les premiers arbres en lisière.

Squelettiques et bruns, statiques et dressés,
de la blanche élégance paraissent détachés.
Les détrempent des nappes de vapeurs un peu grises
que traversent de cinglants frimas qui paralysent.
Noirs et ailés les fendent des croassements
animant à peine le pâle engourdissement.

Des gangues de cristal encagent des lumières,
se saisissent d'ondes éparses et de ma rivière,
aux alentours figés d'un solstice d'hiver.

Décembre 2013

Faits d'âme

À la découverte d'Anne,
j'ai mis du son à mon âme,
d'une portée très profane,
un très malicieux programme.
Mais, que Madame ne me blâme,
si, « pour du son je fais l'âne »,
jouant de toute ma flamme,
c'est pour qu'elle m'écoute, se pâme,[2]
qu'elle m'Aime sur toute la gamme,
pour un duo monogame.

Mais l'Amour, sublime dictame,
cruel parfois me condamne,
puis me fait aller à dame.

18 mars 2021

---

[2] *c'est pour qu'elle m'écoute, s'enflamme,*

14 septembre 2008

Dieu, Allah, Vishnou, Bouddha… sinon, en d'autres endroits,
dieux du Ciel, de la Pluie, du Vent, du Soleil… j'arrête là,
d'un même élan, voire, d'une même foi, tous à la fois,
je veux y croire, l'aviez divinement emportée là.

À portée de mon regard prêt à l'émoi ce jour là,
dans l'azur d'un été finissant au profond éclat,
Mouans-Sartoux, le calme de son parc et… ton aura,
Julie, oh Toi mon Amour, mon Indispensable, ma Joie !

Certes, pour bien d'autres il n'en aurait pas fallu tant,
pour tous se croire cœur vaillant et le reste tout autant.
Notre rencontre était des plus improbables, pourtant,
ces Puissances Dominantes en décidèrent autrement.

2010

Zone rouge

Comme une tache de sang
au centre d'un drapeau blanc,
une cible s'étirant
au milieu de l'Océan
pas très Pacifique pourtant,
cernant îles et volcans,
qu'écorche un tempérament
instable et trop bouillonnant,
se jouant bien du béton,
comme l'enfant, d'un carton.

Vif, rouge, ce point de fusion
chauffant à l'entour à blanc,
du nucléaire l'élément
d'un trop sourd bombardement.
Ronds et croix rouges sur fond blanc
flotteront encore longtemps
sur ces terres de morts-vivants.
Les drapeaux nippons, leurs ronds,
rouges tels des cachets scellant
de leur cire, des testaments.

Rouge, pour danger imminent,
point de départ à présent
d'une fin, quel commencement ?
Des savants et sages souvent,
de la volatile fission
posent les risques en avant,
pour encore combien de temps ?

Fukushima, mars 2011

Simili amour elle

À l'ogive de son corps,
géométrique flore,
un angle, au sommet
de ses désirs secrets,
s'ouvre plus encore,
et s'y déchire un trait.

Humide bissectrice,
intersection de ses cuisses,
s'y fendent roses ellipses
sous l'ovale carmin
d'un doigt de sa main,
elle se sent bien.

De connivence
avec ce doigt elle pense
à une mâle présence,[3]
à ce sexe-symbole
ses phantasmes collent[4]
et son corps s'affole.

---

[3] *ou : à une male absence,*
[4] *ou : des souvenirs collent*

Épicentre de ses secousses,
de son plaisir la source
y coule toute douce,
et sombre avec délice
au fond de ses cuisses,
juste, un doigt de malice.

Gémissements, soupirs,
dialecte de son plaisir
entre ses lèvres s'étirent.
Dans cet amour-mime
son mental s'anime
et son corps sublime.

1984

Et coule la Vienne

Au long des rives de la Meuse,
songeuse, ma muse malheureuse
part en dérives amoureuses,
rêve d'une lampe d'Aladin,
puis se rêve dans mon jardin
cent fois et bien plus qu'à Verdun.

N'existe-t-il pas quelques dieux
propices aux vrais amoureux,
ici, ou bien sous d'autres cieux,
lesquels ne pourraient-ils sans peine
« l'envoyer valser » en la Vienne,
en cette province qui est « mienne »,
et qu'enfin, à nous, la joie vienne.

2014

Gramme d'Amour

Tu fiches des bonheurs dans mon corps,
de délicieux mots dans mon âme,
dans ma vie de piquants décors,
d'accords écrits je les colore.

J'avise mon encéphalogramme,
il divague en technicolor.
Côté électrocardiogramme,
mon cœur est bourré de ressort.
Je vise chaque jour mon programme,
tu y joues ad lib. et j'adore.
Rigolo, mon organigramme,
j'ai fichu tout le monde dehors.
Là, je dessine le pictogramme,
deux lettres, un cœur, qu'une flèche perfore.
D'aimer, Marie est l'anagramme,
j'aime ce lien et plus encore.

2009

Soie d'Amour

Mon Amour pour Toi
est une douleur qui s'éveille
si tu es loin de moi.
Étendu, jamais en sommeil,
cet Amour-s'ouvre à Toi,
sans limite je le déploie.
Viens à hauteur de mes pas,
les « cent » nous ne ferons pas,
cela ne nous ressemble pas.

Courir vers Cythère avec Toi,
en voyage désorganisé,
cœurs et corps partent s'y mêler
sur des durées indéterminées.
Les tour-opérateurs n'y vont pas,
opérant au cœur d'autres endroits.
L'Amour ne se vend pas,
il point, se tisse, tapi en soi,
se fait cocon pour toi et moi.

2009

Anastomose

Nos langues sont douces vrilles,
avec délice s'entortillent,
tourbillonnent nos papilles,
bouillonnent suaves envies.
Notre goût, tendre chérie,
à s'aimer est infini,
nos deux psychés l'ont compris,
ton corps, le mien, ont suivi.

Juillet 2019

Errance en Utopie

Julie ! Tu m'accompagnes ?
Parés… oh ! Juste d'un pagne !
Laissons, nos châteaux en Espagne,
pour des rives de cocagne,
où, loin du capital, de ses bagnes,
non chalands et nonchalants gagnent.
Allez ! Champagne !

2009

T'exprimer

Ton absence au bout des doigts,
la tête pleine de Toi,
là, espérant une enclenche,
j'erre, sur une page blanche,
c'est clair, des plus vigilantes,
d'exceptionnel en attente.
De mes sentiments, c'est sûr,
les mots n'ont plus la mesure.

2009

Chasseur de Toi

Tu me tires les vers du cœur,
je les calibre dans l'heure.
De jolis mots le chasseur,
pas à court, c'est prometteur.
Julie, tu n'es pas un leurre,
mais, mon Trophée du Bonheur.

2009

Facile !

Dès mon lever,
sur du papier
je t'ai couchée.
À tête reposée
je t'ai assemblée
puis tu t'es animée,
mes pensées tu as dictées,
ma main les a écoutées,
puis accompagnées.

Si mon crayon a bonne mine,
Amour, sur toi il s'aligne,
de jolis mots se dessinent,
d'un trait, ils t'illuminent,
je t'Aime sur toute la ligne.

2009

Slow

Dans ma tête, ça chante, c'est Toi,
mais danse le temps un peu slow.
Trop absente d'un contre moi,
je suis à contretemps sans toi.
Flash-back sur nos mélimélos,
nos corps accords ici et là[5]
sur Amour avec un grand A.

Julie, je ne suis pas mélo,
juste, comme le temps, un peu slow.

2009

---

[5] *à corps perdus, ici et là*

Nuances bleues

Cette nuit fut une nuit bleue,
attentats contre mon état fleur bleue,
moi, désarmé comme un bleu.
De mes yeux d'amoureux, bleus,
regard sur mon âme, quelques bleus.

Cannes, la veille, à l'heure bleue,
le T.G.V. était lui aussi bleu,
à grand train, de moi, de la Grande Bleue,
il t'a éloignée Julie,
pour trois jours à Paris.
Ces sentiments nobles en ordre mis,
tout juste écrits d'un sang d'encre…bleu-e-,
de retour, un peu émue, tu en souris,
alors, mon horizon s'ouvre : BLEU.

2009

Autos mobiles

Tournent, bougent, fendent l'air,
vos mobiles ne manquent pas d'air,
cher Monsieur Calder.
Mais aux vôtres je préfère
d'autres œuvres à part entière
roulant sur des aires,
je dirais, bitumées,
mais aussi exposées
sous des réverbères
au long de trottoirs pairs
mais aussi impairs,
seul pour les flics cela diffère.

refrain
Lignes tendues, galbes sublimes,
qu'ils signent de leur patronyme
aux consonances en i,o,a,
mais Porsche, Bertone, n'oublions pas.

Mythiques carrossiers designers,
couturiers géniaux de l'acier,
souvent en rouge l'habillez,
race, équilibre, fluidité,
conduisent leur destinée.
Virtuoses de cet art majeur,
sur accords mineurs et majeurs,
ces paroles vous sont dédiées,
car, par leur féline beauté,
le feulement de leur moteur,
flèches sublimement carénées
m'avez touché en plein cœur.

refrain
Lignes tendues, galbes sublimes,
qu'ils signent de leur patronyme
aux consonances en i,o,a,
mais Chapron, Graber, n'oublions pas.

Certains sur elles vocifèrent,
lancent des critiques amères,
les politiques, eux, légifèrent,
mais, silencieuses derrière le verre,
vitrines de leurs concessionnaires,
sur pages glacées d'hebdomadaires
et de mensuels elles me suggèrent
rêves et délires somptuaires
pimentés parfois d'éclairs,
gyrophares et flics derrière,
trop de cylindres bourrés de nerfs,
les maîtriser m'exaspère.

refrain
Lignes tendues, galbes sublimes,
qu'ils signent de leur patronyme
aux consonances en i,o,a,
mais d'autres n'oublions pas.

1998

Du cœur aux lèvres

Au bord des lèvres j'ai le cœur.
Au bord des lèvres quelques rancœurs.
Au bord des lèvres des maux de l'intérieur.
Au bord des lèvres des mots à briser des cœurs.
Au bord des lèvres un : « je vais faire un malheur ».
Au bord des lèvres s'abîment quelques pleurs.

Au bord des lèvres, rêve, tes doigts les effleurent.
Au bord des lèvres, alors, s'ébauche un bonheur.
Au bord des lèvres, désir, elles goûtent de ta peau la fleur.
Au bord des lèvres, baisers doux vers Toi, mon crève-cœur.

Mars 2014

Manque d'air

Ce matin, le café n'est pas concert,
je suis en enfer,
tu es partie, j'ai les fers
m'étreignant comme un cancer.
J'aimerais m'en défaire,
prendre un peu l'air,
zéro, rien à faire,
je retombe sur terre.

Tu m'as joué les filles de l'air,
de nos « je t'aime » me revient l'air,
dans ma vie, sur son aire,
complètement paumé, j'erre.

Tes silences phrases assassines,
tes ex-mots d'amour cocaïne,
sur eux je m'agglutine,
sniffe des coulées salines,
de mes yeux elles dégoulinent,
trop fragile je me mine,
je ne suis plus aux normes DIN,
de mon cœur j'ai perdu l'héroïne.

refrain
Tu m'as joué les filles de l'air,
de nos « je t'aime » me revient l'air,
dans ma vie, sur son aire,
il faudra que je me gère.

2003

ZoRiCa

Il y a des **zo**os
peuplés d'oiseaux,
de bêtes à museaux
équipés de naseaux.

Il y a des **ri**s
de veaux du Berry,
de l'agneau la souris,
pour tous, hara-kiri.

Il y a des **ca**s
où des choucas
indélicats,
de vignes piquent le muscat.

Sauvé de tout ça,
il y a Zorica.
C'est mon gros chat,
il prospère sous mon toit,
pète dans la soie,
tous les jours festoie,
de chasseurs ne sera
jamais la proie.

Destins tracés,
destins tracassés,
destins stressés,
destins contrariés.

2002

Curare

Son cul rare
doux poison,
accapare
ma raison,
et, plus tard,
déraison.

Son cul rare
doux poison,
me fiche la barre
avec raison,
et je m'égare,
pâmoison.

Son cul rare
doux poison,
des écarts
pour liaisons,
des égards,
trahison.

Son cul rare
doux poison,
je me sens hussard
et Cupidon,
plus de rempart,
abandon.

refrain (long)
Nuances de mes envies,
L, pour un non-dit,
so L do mi
ces notes lui dédie,
de ce côté, tout est dit.

refrain (court)
Caprices, envies,
so L do mi
ces notes lui dédie,
L, pour un non-dit.

2001

Dessous…

Masque confidentiel,
loup, fine nacelle,
en affriolante dentelle,
vu qu'au travers elle
l'ombre originelle
d'un septième ciel
m'attire d'elle.[6]

Dessus le cœur des dames,
est-ce des bonnets d'âme
en soierie diaphane ?
Deux galbes sous leur trame ;
mon regard se pâme,
mes mains réclament,
mon tout s'enflamme,
tous les seins me damnent.
Dans mon cœur, tam-tam !
Dans ma tête, quel ramdam !
Et Toi, si joliment Femme.

2009

---

[6] *m'attire à tire-d'aile ou : me donne des ailes.*

Trèfles à tout cœur

Aux pieds de Julie, de sa maison,
s'entoure un grand jardin non secret.
Pour une tendre et jolie raison,
laquelle à beaucoup d'entre nous plaît,
elle y cherche du bonheur à foison.
Cela mérite du temps, en effet,
son regard ratisse le gazon,
ses doigts d'utiles passages s'y frayent,
vont en lignes droites, tournent en rond.
Elle est très patiente, chacun le sait,
veut être bonne fée et l'admet,
puis de quatre feuilles elle vous fait don.

2010

Nos réveils

Belle, clandestine, tu m'échappes de notre lit,
t'attardes dans mes yeux, captures mon esprit
sous la maille légère de ta sortie de nuit
d'une grise et combien douce nuance flanelle
bordée de blanches et de délicates dentelles.

Cette tenue capte tes divines épaules puis,
à peine freinée par la pointe de tes seins,
chute sur tes fesses, trace l'exquis rebondi,
noue sa fine ceinture au dessus de tes reins,
prenant là, sur tes hanches, un attirant appui,
et, fluide d'un coup, jusqu'à tes genoux parvient.

Dansantes, tes Répetto accompagnent tes pas,
les voici dans la cuisine et toi au piano,
tu y diriges le café, sa mesure d'eau,
sa voix monte dans la cafetière expresso.
Beurrant comme d'ordinaire ton pain, me voilà ;
tartines et baisers, des croissants, pourquoi pas.

Premiers gestes, premiers sons, premières flaveurs du jour,
toutes paroles ou silences si loin d'être lourds,
regards qui s'écoutent, autant de vecteurs d'Amour,
lesquels, toi, moi, souhaitons qu'ils riment avec toujours.

27 février 2010

Propriété privée

Julie rêvée,
propriété privée
d'autres que moi.
Légers, mes doigts
à sa surface déambulent
comme préambule
d'une liaison à, graver,
sans point ni virgule
comme lu et approuvé
et je signe pour l'éternité.

2009

Je nous Aime

Je nous Aime, c'est si bien ainsi.
Puis je nous regarde, réfléchis,
comme ce miroir qui dit oui.
Oui, à nos tailles en harmonie,
à notre nuance d'âge aussi,
à laquelle il ne réfléchit.
Notre bonheur l'éclaire, Chérie,
son tain en est tout épanoui.

Mais, passés derrière le miroir,
de glace, toi, moi, si loin nous sommes,
nos idées et nos corps fusionnent
et soudent ainsi nos regards.
Nos goûts liés beaucoup étonnent.
Aucunement je fanfaronne,
notre Amour reflète je veux croire,
n'être pas le fruit du hasard.

2009

Paronymie d'Amour

Massages d'Amour,
messages d'Amour,
d'expressions, jamais à court,
mes mains te font la cour,
mes mains te jouent des tours.

« Sur le bout des doigts » qui courent,
ceux-ci connaissent mon Amour,
ils l'expriment, te parcourent,
t'impriment un tendre parcours,
un vrai et long discours
aux subtils détours.

Mots que j'assemble,
mots qui nous rassemblent
et là, se ressemblent
pour ne faire qu'un… ensemble.
Julie, heureuse, tu sembles.

2009

Abandon

Et dans le sirupeux poison,
celui du profond abandon,
je m'y coule plus que de raison,
mon corps, mon esprit, électrons
libres vers Toi, douce désertion.
À cet engourdissant poison,
je succombe, exquise prison.
Son enveloppante volupté,
sa prenante onctuosité,
m'isolent des mornes vérités,
vers Toi, seul je m'en vais flotter.

2010

Turbulences

Ma solitude flâne sur nos plus beaux souvenirs ;
ma bouche, elle, pleine de Toi me fait taire le pire ;
mes mains te dessinent par touches à n'en plus finir ;
mes silences te touchent de ce que je n'ose dire ;
mes yeux te murmurent la teneur de mes désirs ;
mon nez à la source de ton plaisir y aspire ;
mon écoute se délecte de tes mots qui s'étirent ;
mon ardeur durcit à l'idée de te ravir ;
oh ! Donne-moi de ton temps pour tout accomplir.

14 février 2014

États

Je traîne vers Toi le long des jours
et je me ferme à double tour,
ma raison seule me joue des tours
je dirai pendables haut et court.

J'ai listé tous nos plus jamais,
de même l'ensemble de nos regrets,
un utile pense bête j'en ai fait,
de vue, à ne perdre jamais.

Tu restes mon plus bel horizon,
j'y projette de belles oraisons,
invoque le retour des raisons,
suivra un Amour à foison.

27 février 2014

Larme à l'œil

Toujours là tes trèfles à quatre feuilles
comme la marguerite que l'on effeuille,
égarés dans mes poèmes recueil,
échoués sur tes non-dits écueils,
dispersés sur mon Amour en deuil
sur lequel souvent je me recueille,
le regard si vengeur, l'arme à l'œil.

Mars 2014

Présent(s)

Ce jour, pour ton anniversaire,
j'aurais pu choisir de me taire,
de disparaître de la terre,
de plonger « sans filet » dans l'air,
des barbituriques qui s'ingèrent.
Mais, de mes idées suicidaires
j'ai décidé de me défaire
pour t'offrir : un pull en mohair,
un tableau songeant à te plaire,
empaillée, une chouette qui a l'air.

Si tes desseins vont de travers,
si trop de fâcheux t'exaspèrent,
si ta vie prend un goût amer,
nos forces s'exigent non guerrières,
laissons nos ignorances derrière,
comme nos vérités émeutières,
viens ! Mon épaule t'est familière.

27 février 2014

À tout bluff

Mascara
Baccara.
Eye liner
coup de pocker.
Coup de blush
coup de bluff.
Eye shadow
coup de pot.
Ton lipstick
sans un risque.

C'est du jeu
poudre aux yeux.
As de pique
tu as le physique,
d'autres atouts
pas du tout.
Une paire
tu es légère.
Rubicon
tu es trop con.

Noir impair
tes chimères.
Une quinte
tu feintes.
Un carré
c'est raté.
Bridge
tu piges.

Rien ne va plus,
c'est fichu.
Back gammon
il y a maldonne.
Poker d'as
je passe.
Tapis vert
c'est clair.

Gin rami
c'est fini.
Black jack
je te plaque.
Tu triches,
tu t'en fiches,
tu t'affiches.

1983

Ségrégation

Essence
de ses sens,
à l'alcool,
il décolle !
Du gin,
l'artiste in,
s'il en abuse,
on l'excuse.
L'artiste au gin,
ça imagine.

Une biture,
et rupture !
Au gros rouge,
dans un bouge.
Les réalités,
leurs vérités,
l'usine il oublie,
elle, le licencie.
Prolo alcoolo
c'est mélo.

Éthylique
aristocratique,
l'artiste au gin
fascine.
La foule
se soûle,
lui, s'enivre,
il sait vivre.
S'il déconne,
on pardonne.

Alcoolique
sans déclic,
pinard
cafard,
l'alcoolo
prolo,
son picrate
démocrate,
boit,
et apitoie.

refrain
Chic, l'artiste alcoolique,
pas beau, le prolo alcoolo.
Pas triste, l'artiste alcoolique,
mélo, le prolo alcoolo.

1983

Nuit blanche

Bruit,
talons aiguilles,
ils, percent mon cœur,
aiguilles passent les heures
d'une nuit cruelle lenteur,
de ne plus te voir, j'ai peur.

Blanche,
devient ma nuit,
puis,
noir, mon ennui.
Dans le vide de cette nuit
sur le téléphone me penche,
vertige, envie, mais ne flanche.

Puis, la jalousie
comme
seule compagnie,
dévorant mon esprit
des visions me consomment,
près de toi, un autre homme.

Blanche,
devient la nuit,
blanche,
car elle s'enfuit,
dehors reprend la vie,
des bruits en avalanche
couvrent ma mélancolie.

refrain
Dans cette nuit couleur cafard,
obscure bête noire,
me ronge mon désespoir,
nuit blanche en noir.

1985

À pas de look

À pas de look
pour ne pas faire plouc
il s'étudie.
Elle, étudie
la philosophie
plongée dans ses books,
elle, jeune look,
lui, vieux bouc.

Elle, dans ses jeans,
lui, costumes grise mine,
look naphtaline,
hey ! L'has been.
Elle, boit du coke,
écoute du rock,
lui, plutôt médoc,
Nitimar on the rocks.

État d'urgence,
il oublie la finance,
ses mouvances,
mode il pense.
S'admire en jean,
fast-food dîne,
s'indiscipline,
il se veut in.

À pas de loup,
elle adopte ses finances,
à pas de look,
haute couture elle pense.
Le luxe, c'est fou,
alors, folles dépenses,
elle, dents de loup,
lui, vieux bouc.

refrain
Elle a du chien et en joue,
bas le masque, elle est loup,
à pas de look, à pas de loup,
elle va lui croquer tout.

1986

Réel imaginaire

En l'absence de Julie,
présence vive de l'ennui,
mon décor se flétrit.
Iris, voilées de pluie,
tristesse, mon regard luit,
et le jour devient nuit.
Fuir vers un paradis
en vers de poésie,
au cœur de cet abri
l'y arrimer à vie.

Rimer pour elle sans mal,
à distance du banal
pour que nul ne m'égale,
puis, conquérir le Graal,
lui bâtir un Taj Mahal
en pierre philosophale,
déifier l'Idéale.[7]
Non ! Elle n'est pas vestale,
seule une perle de cristal
roule dans ma tête, vitale !

2009

---

[7] *atteindre cet idéal.*

Mascarade

Est une veine, celle de se piquer d'humanisme.
Gardons-nous de la politique, de ses ismes,
et de nos bras amoureux édifions un isthme,
contre vents et marées, loin de tout scepticisme.

À ce « combat » masqué, prônons le j'm'en foutisme,
à visage découvert offrons notre optimisme,
sourires arborés, abhorrer tout pessimisme,
des pseudos altruistes bannir leur matérialisme,
d'un souffle rebelle qu'ils sentent le déterminisme,
lequel balaie leur mensonger antidotisme
pour mise à mort de leur puant opportunisme.

Novembre 2021, Covid

Marques de réussite

Je ne suis pas dans le coup,
ne suis rien du tout,
Sopalin essuie tout.

Je rate mes départs,
rentrez vos mouchoirs,
Kleenex au revoir.

Souvent je déplais,
suis-je une plaie ?
Tricostéril pour les plaies.

Mes amours cassent,
le courant ne passe,
Chatterton, il passe.

Personne encore,
de moi ne s'honore,
Klaxon est sonore.

Rien ne colle,
rien ne décolle,
pour Scotch, ça colle.

On me bat froid,
mon cœur a froid,
Frigidaire reste froid.

Succès mon rêve,
faut que je m'élève,
Fenwick élève.

Rien ne se règle,
tout se dérègle,
Tampax, tout se règle.

Je fais les fermetures,
manquant d'ouvertures,
Éclair, ma fermeture.

Peur de ma destinée,
pas de marc de café,
Nescafé l'instantané.

Petits vélos dans ma tête,
mon moteur qui pète,
je ne suis pas Mobylette.

Préfet Poubelle,
mes écrits vers elle,
faut que je me rebelle.

refrain
Mon patronyme
est anonyme,
d'autres, à un produit
leur nom s'associe
symbole de réussite,
moi, je suis exit.

refrain final
Je voudrais qu'à chanson
se rattache mon nom,
sortir de mon trou,
être dans le Who's Who,
fini l'anonymat,
faire partie du gotha,
être persona grata,
ne plus être occulte,
de la personnalité j'ai le culte.

1989

Notes noires en si

Si, tu ne me trouves plus comme avant,
si, je ne te trouble plus comme amant,
si, s'estompe le charmant, le galant,
si, s'est perdu mon côté amusant,
si, tu me perçois moins intelligent,
si, tu m'estimes devenu regardant,
si, mes tonalités vont s'effaçant,
si, ton regard me voit m'amenuisant,
si, à moi tu t'heurtes, alors transparent,
si, en toi, tout ceci n'est qu'évident,
là, il est grand temps de me dire : « va-t'en »
ou, s'il est encore temps, oui ! Parlons-en.

Si, j'ose un pardon, c'est, de t'Aimer tant…

mars 2013

Zoom in a room

Décroisez vos jambes, gazelle,
qu'entre elles crissent vos bas,
dévoilez-moi vos jarretelles,
que s'y glissent dessous mes doigts,
pour notre fête, soyez telle,
nos cœurs doivent battre samba.

J'enlace vos formes violoncelle,
contre, lasse, ne soyez pas,
de moi ne vous lassez pas,
ne vous montrez pas rebelle,
je suis il, soyez mon elle,
avec zèle envolez-moi.

Bisous bisous bisous woaaah !
bisous bisous bisous là,
vos lèvres ogivales, là,
ma bouche s'y imprime et bois,
joue la pointe de mes doigts,
faites-moi votre cinéma.

Je zoome, vise entre vos pas,
je zoome, vais de haut en bas,
je zoome au fil de vos bas,
zoom sur room et longs ébats,
paroles crues sans long débat,
vous, très chair en bel état.

Voyants au vert, vous et moi,
de votre envers à l'endroit,
vous m'en accordez le droit,
vers vous à l'oblique déjà,
je vise votre intime voie,
nous laissant parfois sans voix.

Parer de vous mon pêle-mêle,
d'audacieuses photos j'y vois,
lorsque ma tête s'en mêle,
c'est tempête en-deçà,
in a room, in a hotel,
in a zoom, in a hotel.

2017

Dévoilée

À qui la… Interroge sur une appartenance.
Acquis là… est sur l'instant une appartenance.
Akila, s'appartient avec belle pertinence,
et bien loin d'elle quelque sexisme ou arrogance.
« L'homme propose et la femme dispose », une éviden
Inutile avec elle d'aller à contresens,
d'exprimer à ce sujet quelques réticences,
je vous l'assure, cela serait perdu d'avance.
Si vous désirez une joyeuse connivence,
si, d'esprit, vous avez une réelle présence,
si de vous ne souhaitez que Madame se dispense,
et ne s'accorde à vos approches de la distance,
prenez donc de l'avance, armez-vous de patience.

Si d'en savoir plus, vous marquez quelque impatience,
là, je vais aller vers de subtiles confidences,
indiscrétions qu'elle me pardonnera, je pense.
Akila, prénom, devinez sa provenance :
des oasis, une mer bleue, un zeste de France,
des sangs versés, tribut pour une indépendance.
Elle, ne se voile pas dans cette appartenance,
pour elle, les religions sont vides d'importance,
règne dans son état de droit la bienveillance,
alors, dans une totale liberté, sans souffrance,
du monde entier elle veut tirer la quintessence.

mai 2015

Particule Fine

Elle est une particule fine,
à la noblesse citadine,
dénuée de toute toxine,
à la silhouette si fine,
d'espèce toute féminine
parfois un peu androgyne.

Elle est ma particule fine,
contre moi elle s'agglutine
et se veut, jolie, mutine,
tout en moi elle enlumine,
d'un sourire, elle me fascine.

La voulant un peu plus « in »,
proche des filles des magazines,
elle met en page sa grise mine,
mon cœur, mes yeux, dégoulinent,
me minent ces belles messalines.[8]

---

[8] *marre de ces belles qui m'animent.*

Des sans elle ma tête combine
et s'en amuse libertine,
mon corps, troublé, me taquine,
ma conscience, elle, m'assassine,
désordre que je discipline.

Mais quand ma particule fine,
si subtile, s'élève divine,
haut, son esprit m'illumine,
nos antagonismes cousinent
et parentent nos endorphines.

2017

Joïa

Je la prénomme Joïa,
attache latine de joyau et joie,
un bel augure j'y vois.
La nommant, je les désire, là,
ensembles lovés contre moi,
mon idéal est bien là.

Ce baptême, une naissance,
mieux, une renaissance,
d'une imposture, la délivrance,
la mise en terre d'une déchéance,
linceul tout en brillance,
éclipsant une obscure alliance.

Quand mes lèvres expriment Joïa,
puis se taisent, vaguent sur sa soie,
qu'elle est la visée de mes doigts,
qu'à son elle s'accorde mon moi,
battre mes démons, elle m'aide au combat,
d'un triomphe alors s'ouvre la voie.

Perdent ainsi pied mes errances,
pâlissent souffrances et défiances,
plus d'abjecte résurgence,
mon mental quitte la déficience,
corps et cœur n'ont plus de carence,
Joïa me nourrit d'espérances.

mai 2018

À cœur, à corps perdus

Pour ce seize, ton anniversaire,
ma muse, pour drôlement te plaire,
dès à présent sinon dans l'heure,
t'interpréter façon crooner,
« Happy Birthday » et haut les cœurs.

Si cœurs, esprits, font alors corps,
laisse en toi fluer leurs accords,
que ceux-ci noient nos désaccords
et fassent échouer nos rancœurs.

16 septembre 2016

Quelques rimes de rigueur

À bord de ta Mini Cooper,
calme de prédictibles ardeurs,
pas de contre-la-montre tueur.
De ta venue quelque soit l'heure,
je t'attends, mon pressant Bonheur,
oubliant tout esprit vengeur
lié à nos récents « désaccœurs ».

Septembre 2017

Dans mon coffre-cœur

Parfois tu m'adresses des mots bonheur,
je m'exprime alors collectionneur,
les archive dans l'asile qu'est mon cœur,
pour m'en réjouir en cas de malheur,
ces instants si sombres voilés de pleurs.

10 mai 2019

Je m'oblige à…

Elle me nommait créateur d'exquises émotions,
me voici devenu créateur d'utiles obligations.
En effet, depuis notre séparation,
je m'oblige à l'oublier,
je m'oblige à ne plus l'aimer,
je m'oblige à essayer d'essayer,
je m'oblige à sensément travailler,
je m'oblige à vers d'autres sans cesse aller,
je m'oblige à confusément l'abhorrer,
je m'oblige à en justice la citer,
je m'oblige à réellement m'obliger.

août 2014

Mélanine

Mélanine au soleil,
face à lui tu t'éveilles,
me dénuder pour toi
c'est fou ce que j'aime ça.
Te prendre à la campagne,
te prendre à la montagne,
ou auprès de la mer,
sur ma peau je t'espère.

Mélanine viens sur moi
je veux brûler pour toi,
l'Astre du Jour s'épand,
sur moi tu te répands.
Au tout premier soleil,
tu te dévoiles vermeille,
puis, timide, rougissante,
tu finis brunissante.

Quand je te désaltère
à grands traits d'huile solaire,
cette suave abondance,
fragrance de tes vacances.
En couleur aveline
tu es vraiment divine,
sur moi, à fleur de peau,
je m'apparais plus beau.

Mélanine face ou pile
tu es très sex-appeal,
recto comme verso,
je t'ai bien dans la peau.
Devenue citadine,
alors tu t'enfarines,
se voile ton sex-appeal,
puis à l'anglaise tu files.

1983

Promesses

Orgues, s'y accordent aux liesses.
Orgues, s'y accordent aux détresses.
Pêcheurs et pécheresses
y vont à confesse.
Il s'y dit des messes,
s'y fait des promesses.

Mantoue, le soleil était là,
nous foulions des parterres de fleurs
tombés des vitraux,
Bach, donnait aux orgues, c'était beau.
Nous étions si haut ici bas,
main dans la main nous serrions le bonheur,
Toi, moi, ne le lâchions pas.

Il y avait peu de monde
et notre joie d'en être loin.
Il y avait Dieu et ses saints
face à notre paix profonde,
celle, de se promettre fidélité,
de s'Aimer pour l'éternité.

Julie, ton bonheur fait le mien.
Tes yeux, tes lèvres, se fendent d'un sourire
et irrésistible tu deviens.
Mais, grâces ou chagrins,
à tout rompre, notre Amour tient.
Oui ! S'Aimer à n'en plus finir,
promesse du jour pour ses lendemains.

2009

Coup de gomme 1986

Coup de gun,
coup de gomme,
tu effaces un homme,
face à ton Magnum,
Guillaume Tell, quelle pomme !

Le sang coule,
reste cool,
perds pas la boule,
pour toi ça roule.
Tueur à gages,
ça dégage,
sur ton passage,
quel abattage !

Les flics,
les indics,
le fric,
tu les claques
et prends tes cliques
en faisant ton pack
l'affaire dans le sac.
Magnum, ton pote,
tire, ça dégringole,
jackpot,
le fric te colle.

Les indics,
les flics,
toujours te traquent,
tu prends tes cliques,
les balles claquent,
en pleine peau,
pas de pot,
ils l'ont eue ta peau.

Ils t'ont renvoyé la balle,
celle fatale,
c'est moral,
ils t'ont renvoyé la balle.

1986

Coups de gomme 2015

Coups de guns,
coups de gomme,
ils effacent des hommes,
face à leurs Magnum,
Guillaume Tell, quelle pomme !

Les bas-quartiers se fâchent,
crient « mort aux vaches ! »
Il y a des bravaches
qui dégainent cash,
les Magnum ont la tchatche,
les Magnum à la tâche,
il y a du rouge qui tache,
c'est méchamment trash.

Le monde est à la peine,
le monde a la haine,
le monde se déchaîne,
les Magnum se dégainent,
les coups d'État s'enchaînent,
il y a des réactions en chaîne,
il y a urgence, faut que ça freine,
les politiques sont à la traîne.

Riches, pauvres et clans se divisent,
Magnum Kalach'et autres devisent,
sans s'aviser tous se visent,
la peur est de mise,
qui va emporter la mise ?
Aux creux de l'index ça grise,
sur la mort il y a main mise,
moi, je décoche des bises.

2015

Je t'Aime… à la folie

« Je t'aime », si facile à dire.
Cela attire, puis inspire,
nombre à l'entendre, aspirent,
mais, ça ment comme ça respirent.
N'aimons-nous pas notre chien
comme autant de petits riens ?
À peu de chose cela tient,
mais, dire « je t'aime », crée des liens.

Pour Julie, bien avant tout,
des je t'aime, plus forts que tout,
pas ceux dits à son toutou,
à propos de rien, de tout.
Du dictionnaire de mon âme,
j'a beau chercher, rien n'émane,
Cupidon, Éros, me damnent,
superlatifs, c'est la panne.

Sacrifiant alors au rite,
celui de la marguerite,
un pétale, porte, au zénith,
la folie, cette maudite,
elle fait à nos je t'aime, suite.
Anoblissons la formule,
ornons, aime, d'une particule,
disons… un A majuscule.

Oui ! Je t'Aime… à la folie.
Oui ! À t'aliéner ma vie.
Oui ! Dingue de toi, Julie.

2009

Intérim père

Il m'appelle papa,
je ne le suis pas.
Il est à elle,
je l'aime comme tel.
Je l'aurais aimé mien,
il est sien.
D'un père les devoirs,
d'un beau-père les déboires,
père par intérim
un papa je mime.

Adepte du duo,
je « joue » en trio,
passant d'étreintes
en contraintes,
responsabilités
contre tranquillité,
s'il te plaît, dis merci,
obéis, viens ici,
pour les non avisés
père et marié.

Il m'appelle papa,
je ne le suis pas.
Elle m'appelle chéri,
mais, ne suis son mari.
Nous sommes trois,
eux deux plus moi.
Je suis l'ami cher,
il est sa chair.
Ils sont deux, plus un,
j'ai l'amour chagrin.

refrain
Célibataire, intérim père,
je m'y entraîne, elle, m'y amène,
célibataire, intérim père,
je m'y emmêle, je me démène.

1983

Gamme sur reggae

Via la Jamaïque,
tu prends des risques,
rhum, capital ivresse,
45 degrés tu encaisses.
Ainsi, un ré bourré
devenu ré gai,
sur un sol do ré
danse le reggae.

Un si au teint vermeil
surnommé si rose,
fine fleur de la bouteille,
déverse son overdose
sur un sol mineur
complètement noir
puis, rouge de fureur,
écœurante histoire.

Imbibé d'alcool,
manquant de pratique,
un la conique
devenu larron,
sort un flot de paroles
à ne pas mettre en chanson,
de l'humour, n'ayant la palme,
un si, lance un appel au calme.

Sur la piste,
spectacle pas triste,
étonnant duo,
un la sage, un la sot,
c'est naturel,
s'emmêlent les ficelles
à danser le reggae
sur sol si ré.

Rhum hallucinations,
un mi, rage
sur de floues apparitions.
De même, un si, rage,
pas très brillant,
près de ses chaussures
danse en jurant
sur sa biture.

Tandis qu'un do lent
danse nonchalant,
un fa, mine de rien,
dévore des yeux
un sol au féminin,
pas dans son assiette,
l'œil plutôt vitreux,
rhum, tu fais recette.

refrain
Reggae sur toute la gamme,
Je continue la gamme

refrain final
reggae sur toute la gamme,
je finis la gamme.

La fa mi si do ré,
par le rhum noirs
et le reggae grisés,
pour changer d'air,
retoucher terre,
leurs portées enfourchèrent
laissant leurs déboires,
Jamaïque au revoir.

1982

Liaisons et lésions

Alliances de fidélités,
deux anneaux présentés
par quelque autorité.
Deux doigts s'y sont engagés
pour l'éternité,
l'alliance est scellée,
la fête, peut commencer…

… Avocats contactés,
infidélité constatée,
la faute, incontestée.
La justice va trancher,
le coup est porté,
le couple, décapité,
les témoins, dépités.

2012

Star souvenirs

Dans un bar,
vision floue,
sur photo d'art,
superbe moue,
d'une star
à remous,
coup de cafard,
i loved you,
sans espoir,
mais pour vous.

Dans ce bar où je m'échoue,
typique, cette photo de vous,
vous darling, dont j'étais fou.

Photographies,
survivance
de votre vie,
à vous je pense
aujourd'hui,
insolence
de l'oubli,
réminiscences,
résonances,
mélancolie.

Coups d'interviews,
coups de flashs,
pour nous, sur vous,
sans relâche,
votre vie privée s'arrache.

Il y a si longtemps
je vous aimais follement,
mais n'étais qu'un adolescent.
Vous étiez belle à mourir,
cinéma et mortel désir,
cachets pour le dernier soupir,
d'une star, souvenirs.

1982

Vile vie

Dans la ville alambic,
gaz carbonique,
parfums en sticks.
« Ton air » tu aseptises,
coups de bombe vaporises,
vent vert, douce brise.

Sur « voies rapides »,
autos immobiles dévident
de mortels oxydes,
mais, vient la rengaine,
campagne fin de semaine
pour un brin d'oxygène.

L'argent est maître,
pour ton bien-être
il te faut paraître,
fièvre acheteuse chronique,
à coups de fric
tu soignes ta plastique.

Tristes stratagèmes,
soleils en crème
masquent ton teint blême,
poches sous tes yeux,
anticernes, ça va mieux,
naturel, adieu.

Stress pathogène
d'insomnies quotidiennes,
barbituriques, quelle veine !
Toubibs te conseillent
ces tubes de sommeil
mais, dur le réveil.

Vie synthétique,
ose la réplique,
j'ai l'âme bucolique.
Laisse tes chimères,
où c'est bleu, rose, vert,
sera notre repère.

1982

Des ados pas ad hoc

Critiquent Bush,
l'Amérique,
de leur politique
plein le dos
avec en bouche
un Mac Do,
puis se versent du Coke
sur musique rock.

refrain
Nippés Nike Reebok,
des ados pas ad hoc
niquent les amerloques.

Filent, manifestent,
en rollers skates
made in States.
Côté cinoche
Idem, ça cloche,
ils sont sinoques
de films amerloques.
Rêves en stock,
ils se toquent
de voir New York.
Arts plastiques,
sources artistiques,
Amérique mythique,
Hollywood magique.
Taguent et s'échappent
sur rythme rap,
le Bronx les rattrape.

refrain final
Nippés Nike Reebok,
des ados pas ad hoc
niquent les amerloques
mais ils en croquent.

Texte inspiré par les manifs de jeunes
contre la guerre de 2003 en Irak

Macadam moto

T'appuies sur le kick,
cri mécanique,
sur le compte-tours,
grimpent les tours,
monte l'aiguille sur le compteur de mon stress,
zone rouge, tension, haute vitesse.
Accélération,
chaude émotion,
plus de deux cents à l'heure,
tape mon cœur,
métal hurlant et cuir bousculent l'atmosphère,
fort contre toi je me serre.

Vibrations,
sensations,
elles électrisent tout mon corps ;
vibrations,
sensations,
même si je me défends encore,
nous vibrons sur les mêmes accords ;

vibrations,
sensations,
maintenant je n'ai plus peur ;
vibrations,
sensations,
rugissement des kilomètres heure,
je n'entends plus battre mon cœur.

Macadam ruban
tout droit devant,
couloir chlorophylle
vite défile,
odeurs, vitesse, m'enivrent et je me libère,
je décolle, ne touche plus terre.

Vibrations,
sensations,
elles électrisent tout mon corps,
vibrations,
sensations,
même si je me défends encore,
nous vibrons sur les mêmes accords,
vibrations,
sensations,
maintenant je n'ai plus peur,
vibrations,
sensations,
rugissement des kilomètres heure,
je n'entends plus battre mon cœur

1985

Des mots coûte que coûte

Je cours après des rimes à perdre Hélène.
De pied en pied si plats quand ils me viennent.
Des pieds de nez à toute belle antienne.
Sans inspiration, voilà qui m'aliène.

Poésie, quand de jolis mots parviennent,
vite, courir après à en perdre haleine,
vite, les plaquer là, pour les mettre en scène,
j'en serais si heureux, plaire à Hélène.

Aujourd'hui, c'est un peu jour de déveine,
le rouge passion est absent de ma veine,[9]
mon cœur à la ramasse pulse avec peine,
il me faudrait, juste, m'imprégner d'Hélène.

5 juin 2020

[9] *le rouge passion est absent de mes veines,*

Sans géhenne

Ma tête très joliment pleine
de ta présence, absente Hélène,
je te veux sur mon avant-scène,
que tu t'envoies valser en Vienne,
tout près de ses eaux un peu miennes.
D'ohhh ! troubles que ta gorge draine,
vocalises floues, de délices pleines,
ces douces prophétiques sirènes
m'appellent à des plaisirs sans gêne
touchant à d'intimes domaines.
Puis, matador, toi, magicienne,
enfin, pénétrer dans l'arène,
me voir roi, et toi, souveraine,
un état de grâce et toi reine.

14 juin 2020

Solitude and co

Je suis un tarzan sans Jane,
moi, avoir peine,
sous mon pagne une grosseur me gêne ;
à cet endroit que je précise
give me please
beaucoup de bises.

Je suis un cheik pas fier,
mon lit est désert,
mon harem s'est fait la paire ;
je vis des mirages,
des moukères mon corps saccagent,
faut que je me ménage.

Je suis le play boy du mois,
celui qu'on veut à soi,
et m'abîme dans des draps de soie ;
mais seul dans mon dodo,
avec ma libido,
c'est solitude and co.

refrain
Amour single,
de l'amour je gueule,
just a little,
c'est mon jingle.

1984

Nadine

Coquine, mon amazone, ma Nadine,
vois, tu emballes mes chevaux din.
Du coche, tu peux être mouche fine,
de Toi, tu me piques, me fascines,
de ma veine, te voici héroïne.
Loin de toutes effluves naphtaline,
pour nous deux, l'air du temps prédomine,
loin d'un amour cucul la praline,
le nôtre, sucré salé s'agglutine,
ce délice dans nos corps se raffine.

Mais, partir en conquêtes féminines,
conter fleurette, l'idée me taquine,
butiner d'exquises messalines,
polliniser ainsi ces mutines,
desseins illusoires qui me dominent.
Ainsi, à l'une d'elles écrire un hymne
au rythme de nos deux cœurs qui se minent,
nos deux corps, eux, de s'unir, déclinent.

25 février 2021

Sentiments d’amis liés

Fou à lier à notre Amitié, ne m’en délier
ni jamais m’en défier, celle-ci pourrait sombrer.
Avancer, garder pied, sans nous prendre le nez,
trop pénible serait sans l’autre de respirer.
Tu es ma sœur d’âme née, loin tout succédané,
si ce n’est vrai, sûr, je veux bien, être damné.

Face à l’Astre du Jour printanier, allongé
sur un transat, cerveau mieux ainsi irrigué,
de ce dernier, ces vers ont alors débordés.
Intarissables, leurs pieds plein d’allant, bien rythmés,
heureux, s’en sont à toutes jambes vers Toi allés.
Une trentaine de minutes s’est écoulée,
de mon esprit, ces rimes ont fini de couler,
avec, comme bel atout, leur spontanéité.

Nadine, ceci est du tout moi, « juré, craché »,
et me reflètent si bien, à quoi bon jurer ;
aussi, bien réfléchi, je ne vais pas signer,
si ce n’est tout avec Toi pour l’éternité.

25 mars 2021

Vers d'ivresse

Tu bois mes vers « comme
un seul homme ».
D'eux, tu t'imbibes,
nul risque d'amibes.

Dans ce cristal de poèmes,
par d'intenses degrés
de sensibilité, grisée,
tu me vois pur homme
et planes dans mon idiome.

Dans ce cristal de poèmes,
mon âme un peu rom
voyage bohême,
loin du star-system ;
transparence que tu aimes,
pour toi, Amour, ad libitum.

2009

Poème à la gomme

Poème à la gomme,
pour notre Amour pas à la gomme,
d'un tendre rose bubble gum.[10]
Chérie, je mets la gomme,
pas question que tu me dégommes,
que tu me dises go home,
mes défauts je gomme,
ni mystère et boule de gomme.

À Toi je colle chewing gum,
tu es ma bégum,
oui ! Ma Bégum !

2009

---

[10] *tendre comme un bubble gum,*

Dans les clous

Imprimé en Allemagne
Achevé d'imprimer en novembre 2022
Dépôt légal : novembre 2022

Pour

Le Lys Bleu Éditions
40, rue du Louvre
75001 Paris